KV-414-668

ARTi
Zdumiewające fakty
Zapamiętaj
Zapytaj mnie!
Encyklopedia dla Dzieci
Zadziwiający świat faktów
Warto wiedzieć!
Lasy
Wspólnie odkrywamy świat

Spis treści

WSTĘP

Blisko 30% powierzchni Ziemi pokrywają lasy. Są to najważniejsze „przechowalnie" życia na Ziemi, domy różnorodnych gatunków zwierząt i roślin. Lasy to główny czynnik utrzymujący balans ekologiczny na Ziemi.

Ekonomicznie najważniejszym produktem lasów jest drewno. Lasy także zapewniają kontrolę klimatu, wolne od zanieczyszczeń środowisko, dom dla dzikiej przyrody. Poza wyżej wymienionymi funkcjami, lasy zapewniają spokój i odpoczynek.

Przez ostatnie lata wycinanie lasów, głownie lasów deszczowych strefy zwrotnikowej, stało się ważnym tematem i wzbudziło ogromne zainteresowanie wśród liderów państw i organizacji ekologicznych z całego świata.

Już teraz uczyniono wiele dla ochrony terenów leśnych. Nie mniej jednak, wiele jeszcze zostało do zrobienia, aby uchronić te cuda natury przed całkowitym wyniszczeniem.

Las bambusowy

Czym jest las?

Las jest skomplikowanym ekosystemem, składającym się przede wszystkim z drzew, które chronią Ziemię i wspierają niezliczone inne organizmy. Drzewa pomagają stworzyć specyficzne środowisko, które wpływa na żyjące tam rośliny i zwierzęta. Drzewa zapewniają czyste powietrze, chłodzą je w gorące dni i redukują temperaturę podczas nocy. Doskonale ponadto absorbują hałas.

Wszelkie rośliny zapewniają glebie ochronę przed kroplami wody, w ten sposób redukując efekt erozji. Liście spadające z drzew nie pozwalają się wedrzeć wodzie głęboko w glebę, a korzenie utrzymują glebę w miejscu.

Martwe rośliny przekształcają się w próchnicę. Rośliny zapewniają dom dla wielu organizmów. Ptaki tworzą swoje gniazda na gałęziach drzew. Zwierzęta, a także część ptaków żyje w dziuplach drzew, owady i inne organizmy chronią się w różnych partiach roślin.

Las otaczający wyspę

Drzewa produkują także tlen i gromadzą w sobie szkodliwy dwutlenek węgla. Transpiracja (parowanie wody z naziemnych części roślin) zapewnia odpowiednią wilgotność i ilość opadów.

Zapytaj mnie!

Czym jest wycinka lasów?

Jest to wycinanie całych obszarów leśnych. Drzewa są ścinane, a nowo powstały obszar wykorzystywany jest w celach urbanistycznych. W krajach rozwijających się wycinanie lasów trwa i doprowadza do nieodwracalnych zmian w klimacie i geografii.

Lasy deszczowe strefy podzwrotnikowej

Zdumiewające Fakty

- Lasy mogą się rozwijać kiedy tylko temperatura w najcieplejszym miesiącu roku przekracza 10°C.
- Lasy produkują olbrzymie ilości tlenu, a pobierają w zamian dwutlenek węgla.
- Na terenach zalesionych drzewa rosną w sporych odległościach od siebie i to pozwala słońcu na dotarcie do każdego z drzew. Tym właśnie tereny zalesione różnią się od lasów.

Zapamiętaj

Naukowe studia nad lasami noszą nazwę ekologii (lasów), natomiast leśnictwo jest zarządzaniem i opieką nad lasami.

Lasy są domem dla wielu zwierząt

Lasy deszczowe strefy umiarkowanej

Lasy wzdłuż lodowca

Tajga na Alasce

Lasy borealne, tajgi

Lasy borealne są powszechnie znane jako tajga. Rosną jako niekończący się pas drzew iglastych przecinający Amerykę Północną, część Europy i Azji. Lasy borealne otaczają regiony dokładnie na północ od koła arktycznego, tworząc olbrzymią połać terenów, zdolną konkurować z terenami zajętymi przez lasy deszczowe. Lasy borealne rosnące na północy stanowią 1/3 terenów leśnych całej Ziemi. Tworzą szlak biegnący przez Kanadę, Rosję i Skandynawię.

W Ameryce Północnej regiony porośnięte lasami borealnymi ciągną się od Alaski do Nowej Funlandii. Są dwa podstawowe rodzaje lasów borealnych. Jeden z tych rodzajów tworzą lasy zamknięte, składające się z dużej ilości rosnących blisko siebie drzew. Charakterystyczna część tych lasów, to gleba porośnięta mchem. Drugi rodzaj tajgi stanowią tereny leśne, z charakterystycznie dużymi odległościami pomiędzy drzewami. Lasy borealne stanowią doskonałe schronienie dla roślinożernych ssaków i małych gryzoni. Te zwierzęta są doskonale przygotowane do radzenia sobie w tak ciężkim klimacie.

Tajga na Alasce
(Parka Narodowy Denali)

Zapytaj mnie!

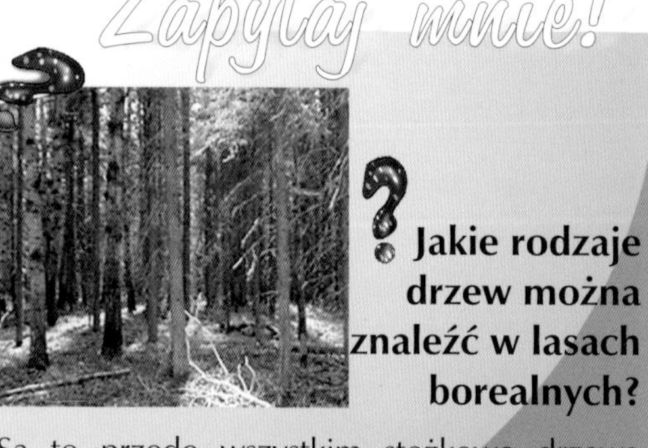

Jakie rodzaje drzew można znaleźć w lasach borealnych?

Są to przede wszystkim stożkowe drzewa iglaste. Kształt taki pozwala uchronić się przed nadmiarem śniegu i uniemożliwia w dużej mierze łamanie się gałęzi.

Zdumiewające Fakty

- Tajga to rosyjska nazwa lasów borealnych. Olbrzymia część Rosji przykryta jest tym rodzajem lasów. Lasy te tworzą olbrzymie biomy (obszary o jednakowym klimacie).
- Lasy borealne posiadają także dużo terenów wodnych takich jak: trzęsawiska, bagna, zalewiska, płytkie jeziora czy rzeki. Wszystko to połączone z drzewami tworzy tajgę.
- W lasach borealnych żyją także duże ssaki, np. niedźwiedzie. Odżywiają się one latem, aby przybrać na wadze i móc przespać cały okres zimowy.

Ontario

Zapamiętaj

ga charakteryzuje się długimi zimami rótkimi, acz bardzo gorącymi okresami letnimi.

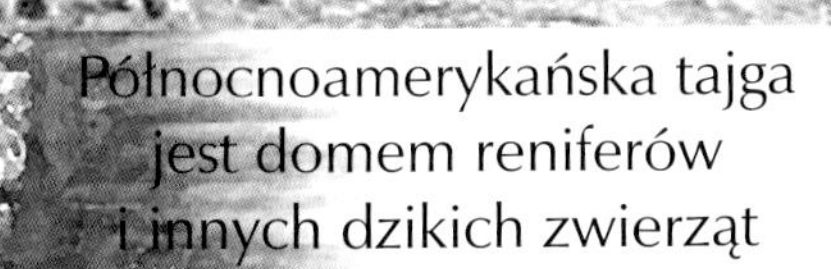

Północnoamerykańska tajga jest domem reniferów i innych dzikich zwierząt

Drzewa iglaste

Lasy borealne Kanady

Las borealny, tajga

Tajga zimą (Finlandia)

Drzewa iglaste

Sosna

Drzewa noszące szyszki, zazwyczaj wiecznie zielone, posiadają liście w kształcie igieł lub łusek. Z nich pochodzi drewno potocznie zwane miękkim. Sosny, świerki, jodły, cyprysy, cedry czy sekwoje są doskonałymi przykładami takich drzew.

Drzewa takie można znaleźć przede wszystkim na północnej półkuli Ziemi, nie mniej jednak występują także na półkuli południowej. Północne lasy iglaste noszą nazwę lasów borealnych lub tajg. Drzewa te rozkwitają wszędzie, gdzie lata są zimne i krótkie, a zimy srogie i długie, z opadami śniegów przez niemal 6 miesięcy. Liście w kształcie igieł posiadają odpowiednią warstwę ochronną, która zapobiega utracie wody. Ich gałęzie są miękkie i giętkie, dodatkowo nachylone ku dołowi, dzięki czemu śnieg zsuwa się po nich. Modrzewie są jednym z gatunków drzew iglastych, które można znaleźć w najzimniejszych zakątkach Ziemi. To dziwne ale drzewa iglaste są tak w rzeczywistości liściaste, tzn., że zimą tracą swoje liście. Niektóre drzewa iglaste takie jak: cyprysy, cedry, czy sekwoje rosną w cieplejszych zakątkach Ziemi.

Las iglasty, Waszyngton

Zapytaj mnie!

Czym jest szyszka?

To część drzewa posiadająca struktury służące do reprodukcji. Szyszka rodzaju męskiego, produkująca pyłek, jest mocno liściasta oraz mało zauważalna, nawet kiedy osiągnie pełną dojrzałość. Szyszka rodzaju żeńskiego, produkująca nasiona, jest dużo mniej liściasta.

Świerki

Zdumiewające Fakty

- Lasy iglasty reprezentują największe na ziemi obszary o jednakowym klimacie (biomy).
- Drzewa tajgi rosną z niespotykaną nigdzie indziej dowolnością.
- Sosny są zazwyczaj obupłciowe. Na tym samym drzewie można zaobserwować szyszki rodzaju zarówno męskiego, jak i żeńskiego.
- Pierwsze drzewa iglaste datuje się na późne lata Karbonu.

Cedry

Szyszka

Las iglasty, Kanada

Drzewo iglaste pokryte śniegiem

Jodła

Wiecznie zielone lasy iglaste

Świerki

Zapamiętaj

Las iglasty można znaleźć przede wszystkim na północnej półkuli Ziemi.

Lasy iglaste strefy umiarkowanej

Las sosnowy

Lasy iglaste strefy umiarkowanej możemy najczęściej znaleźć w regionach świata o ciepłym lecie i chłodnej zimie. Regiony takie charakteryzują się odpowiednim opadem, który gwarantuje utrzymanie się drzew. W lasach takich dominują drzewa iglaste wiecznie zielone, czasem można natrafić na lasy mieszane (iglasto-liściaste), bądź tylko liściaste. Lasy takie charakteryzują się kilkoma gatunkami drzew.

Dodatkowo lasy takie porastają rozmaite trawy i krzewy. Lasy iglaste strefy umiarkowanej charakteryzują się dwoma podstawowymi warstwami: drzewostan i runo leśne. Niektóre z tych lasów mogą posiadać warstwę środkową (podszyt), zawierającą krzewy. Na drzewostan składają się najwyższe poziomy lasu, natomiast podszyt tworzą małe drzewka i krzewy, rosnące w pobliżu olbrzymich drzew.

Lasy, Sierra Nevada

Lasy sosnowe wspierają w znacznym stopniu runo leśne (złożone z traw i bylin), które jest niezbędne do prawidłowego funkcjonowania lasu.

Gdzie można znaleźć lasy iglasty strefy umiarkowanej?

Większość tych lasów rośnie na obszarach charakteryzujących się łagodnymi zimami i dużymi opadami deszczu w skali roku. Lasy takie znajdują się także w rejonach górskich i bardziej suchych.

Zdumiewające Fakty

- Niektóre lasy iglaste strefy umiarkowanej charakteryzują się opadami na poziomie 2000 mm. Wielkość opadów atmosferycznych zależy od regionu, w którym dany las się znajduje.
- Iglaste lasy deszczowe strefy umiarkowanej wyróżniają się drzewami o olbrzymich rozmiarach.
- Eko-region Klamath-Siskiyou posiada największą liczbę gatunków drzew iglastych - 30.

Zapamiętaj

Wiecznie zielone drzewa iglaste stanowią zdecydowaną większość w lasach iglastych strefy umiarkowanej.

Las iglasty strefy umiarkowanej

Las iglasty, Karpaty

Las w Klamath-Siskiyou

Las iglasty

Śródziemnomorskie lasy iglaste i mieszane

Las przybrzeżny, Kolumbia Brytyjska

Lasy liściaste strefy umiarkowanej

Las liściasty strefy umiarkowanej

Lasy liściaste strefy umiarkowanej można znaleźć w chłodnych i deszczowych regionach świata. Drzewa tam rosnące posiadają liście, które zrzucają na zimę, a wiosną dochodzi do ich reprodukcji. Lasy takie są charakterystyczne dla środkowych rejonów kuli ziemskiej. Wyznaczają wyraźnie cztery różne sezony: wiosnę, lato, jesień, zimę. Na północnej półkuli lasy takie można znaleźć w Północnej Ameryce, Europie i Azji. Na półkuli południowej, gdzie nie jest już tych lasów tak dużo, można je znaleźć w Południowej Ameryce, Afryce i Australii. Sezon „rozwijania się" dla tych drzew wynosi sześć miesięcy. W sezonie „opadania", liczba godzin pory dziennej wyraźnie maleje. Chroni to drzewa przed nadprodukcją chlorofilu, który doprowadziłby do szybszego opadania liści. Podczas tego sezonu liście przyjmują fantastyczne kolory, od czerwonego, poprzez pomarańczowy, żółty aż do brązowego. Lasy takie posiadają pięć warstw. Warstwa drzew jest najwyższa, następnie warstwa małych drzew, krzewów, ziół, aż do ściółki leśnej.

Las liściasty strefy umiarkowanej

Zapytaj mnie!

Co zapewnia, że ziemia w lasach liściastych strefy umiarkowanej jest taka żyzna?

W sezonie „opadania" rośliny i drzewa zrzucają swoje liście. Jest to dobre zarówno dla drzew, jak i reszty lasu. Gleba uzupełniona liśćmi, gałązkami oraz martwymi organizmami nabiera żyzności.

Zdumiewające Fakty

- Lasy deszczowe posiadają drzewa znacznie wyższe od ogólnie przyjętej średniej.
- Istnienie lasów deszczowych strefy umiarkowanej, jak i zwrotnikowej jest efektem olbrzymich opadów deszczu.
- Lasy deszczowe strefy umiarkowanej można znaleźć na zachodnich krańcach Ameryk (Północnej i Południowej). Roczny opad deszczu wynosi tam od 152 do 508 cm.
- W lasach deszczowych gleba jest bardzo pożywna, a na najniższe warstwy lasu składają się krzewy i małe drzewa.

Podłoże lasów deszczowych strefy umiarkowanej jest pokryte mchami i paprociami

Las deszczowy strefy umiarkowanej

Las deszczowy strefy umiarkowanej, park narodowy Olympic (USA)

Zapamiętaj

Drzewa w lasach deszczowych strefy umiarkowanej osiągają olbrzymie rozmiary i żyją bardzo długo.

Las deszczowy strefy umiarkowanej, Nowa Zelandia

Łańcuch pokarmowy lasu deszczowego strefy umiarkowanej

Las deszczowy strefy umiarkowanej

Kobieta spacerująca po lesie deszczowym strefy zwrotnikowej

Lasy deszczowe strefy zwrotnikowej

Lasy deszczowe strefy zwrotnikowej posiadają niesamowicie wysokie drzewa i znajdują się w regionach niekończącego się ciepła. Roczny opad wynosi tam od 127cm do 660 cm.

Lasy te znajdują się przede wszystkim w pobliżu równika, pomiędzy zwrotnikiem Raka (23,5° szerokości północnej) a zwrotnikiem Koziorożca (23,5° szerokości południowej). Pas ten o szerokości 3200 km nosi nazwę strefy zwrotnikowej. To zdumiewające jak wiele gatunków różnorodnych organizmów żyje w lasach deszczowych. Począwszy od mikroskopijnych zwierząt, przez bezkręgowce (owady, robaki), ryby, gady, ptaki, aż po ssaki.

Lasy deszczowe strefy zwrotnikowej produkują 40% ziemskiego tlenu. Olbrzymia ilość leków jest wytwarzana na bazie roślin pochodzących z tamtych lasów. Chinina (pochodząca z drzewa chinowego) jest używana do leczenia malarii. Także lekarstwo na raka może kryć się pomiędzy 1400 gatunkami roślin.

Kwiaty w lesie deszczowym strefy zwrotnikowej

Lasy deszczowe strefy zwrotnikowej są do siebie bardzo podobne. Większość z drzew ma cienką i płaską korę ponieważ nie ma obawy przed utratą wody czy też niskimi temperaturami.

Zapytaj mnie!

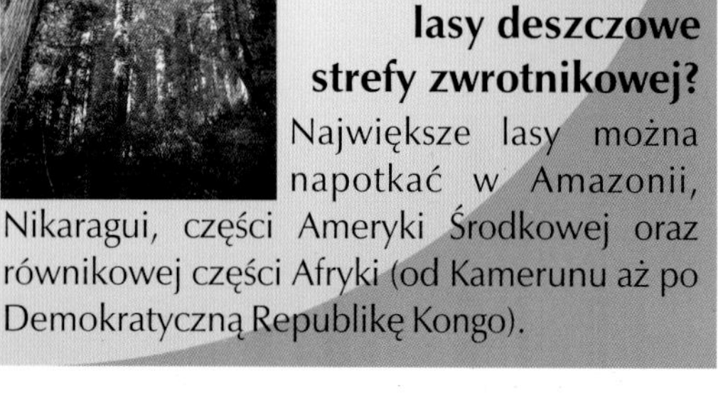

Gdzie można znaleźć największe lasy deszczowe strefy zwrotnikowej?

Największe lasy można napotkać w Amazonii, Nikaragui, części Ameryki Środkowej oraz równikowej części Afryki (od Kamerunu aż po Demokratyczną Republikę Kongo).

Las deszczowy strefy zwrotnikowej

Zdumiewające Fakty

- Naukowcy uważają, że ponad połowa wszystkich gatunków roślin i zwierząt żyje w lasach deszczowych strefy zwrotnikowej.
- Kurara pochodząca z tropikalnej winorośli jest używana jako środek przeciwbólowy i rozluźniający podczas operacji.
- Roczny średni opad w lasach deszczowych strefy zwrotnikowej wynosi 254 cm.
- W Togo lasy deszczowe strefy zwrotnikowej zajmują 1300 km^2.
- Bukietnica jest jednym z największych kwiatów na świecie. Można ją znaleźć w lasach deszczowych strefy zwrotnikowej w Malezji, Singapurze, Indonezji i na Filipinach.

Las deszczowy strefy zwrotnikowej

W lasach deszczowych strefy zwrotnikowej żyje bardzo dużo zwierząt

Las deszczowy strefy zwrotnikowej

Las deszczowy strefy zwrotnikowej

Bukietnica (Rafflesia)

Las deszczowy strefy zwrotnikowej, Amazonia

Sklepienie lasu deszczowego strefy zwrotnikowej

Zapamiętaj

Lasy deszczowe strefy zwrotnikowej można spotkać w zachodniej Afryce, Australii, południowych Indiach, Ameryce Południowej, oraz południowo-wschodniej Azji.

Lasy wilgotne strefy zwrotnikowej

Lasy wilgotne strefy zwrotnikowej są także zwane liściastymi lasami zwrotnikowymi lub podzwrotnikowymi. Można je znaleźć w pasie wokół równika. Lasy te charakteryzują się ciepłym i wilgotnym klimatem oraz całorocznymi opadami deszczu. Zwrotnikowe i podzwrotnikowe regiony są domem dla drzew liściastych, jak i iglastych. Na lasy takie można także napotkać w rozmaitych regionach przybrzeżnych.

Lasy na Maskarenach

Lasy te można podzielić na cztery podstawowe części. Każda z tych części chroni inne zwierzęta i rośliny, które zaadoptowały się do życia w danym regionie. Najwyższe warstwy lasu są chronione przez najwyższe drzewa, wyrastające ponad sklepienie lasu. Drzewa te są zazwyczaj wiecznie zielone. Są gotowe przetrwać duże wahania temperatur oraz silne wiatry. Liście tych drzew mają odpowiednio wyprofilowany kształt, aby krople wody spadały z nich bezpośrednio na ziemię. Kolejne warstwy tworzą krzewy i runo leśne.

Gdzie można znaleźć lasy wilgotne strefy zwrotnikowej?

Lasy takie znajdują się w Afryce (rejony równika), Indiach, południowo-wschodniej Azji, Ameryce Południowej i Środkowej, Australii oraz Oceanii.

Las wilgotny strefy zwrotnikowej, Queensland (Austra

Las podzwrotnikowy, płaskowyż Yunnan (Chiny)

Las Sierra de los Tuxtlas

Las w Wielkich Rowach Afrykańskich (Demokratyczna Republika Kongo)

Zdumiewające Fakty

- Lasy wilgotne w Queensland są domem starodawnych roślin zwanych (antarktyczna flora). Rośliny te pokrywały niemal cały obszar Australii i Antarktydy przed 15 mln lat.
- Największa populacja nosorożców indyjskich żyje w dolinie rzeki Brahmaputry, w wiecznie zielonych lasach.
- Lasy wilgotne na Hawajach mają zróżnicowane środowisko, oraz wspierają rozmaite formy życia.

Las przy torfowiskach (Borneo)

Zapamiętaj

Blisko połowa lasów deszczowych znajduje się w Brazylii i Peru.

Wilgotny las liściasty eko-regionu (Bangladesz)

Górskie lasy wilgotne (Kamerun, Nigeria)

Wilgotny las tropikalny (Hawaje)

Lasy suche, Puerto Rico

Lasy suche strefy zwrotnikowej

Lasy liściaste zwrotnikowe i podzwrotnikowe są także znane jako lasy suche strefy zwrotnikowej. Rosną w granicach szerokości zwrotnikowych i podzwrotnikowych. Można je znaleźć przede wszystkim w południowym Meksyku, południowo-wschodniej Afryce, na Małych Wyspach Sundyjskich, w środkowych Indiach, Indochinach, na Madagaskarze, w Nowej Kaledonii, wschodniej Boliwii, środkowej Brazylii, na Karaibach, w dolinach północnych Andów oraz wzdłuż wybrzeży Ekwadoru i Peru.

Lasy te rozwijają się w regionach, gdzie przez cały rok panuje wysoka temperatura. Opady nie przekraczają kilkuset cm w skali roku. Lasy suche rosną na obszarach, gdzie sezon suchy trwa nawet kilka miesięcy. Sezonowe susze mają znaczący wpływ na życie obecne w tych lasach. Drzewa takie jak: teczyny i hebany utrzymują w sobie wodę przez cały okres suszy.

Mimo mniejszego geograficznego zróżnicowania od lasów deszczowych, lasy suche także mogą pochwalić się bogatą florą i fauną.

Jakie niebezpieczeństwa stoją przed lasami suchymi?

Lasy te są bardzo wrażliwe na wycinkę drzew, a także na podpalenia. W takich warunkach egzotyczne i niespotykane gatunki zwierząt i roślin szybko ulegają przemianom. Zadanie odnowienia tych lasów jest wykonalne, ale bardzo trudne.

Las suchy strefy zwrotnikowej, Santa Rosa

Las suchy strefy zwrotnikowej

Zdumiewające Fakty

- Organizacja ekologiczna WWF uznała suche tereny lasów liściastych Madagaskaru, za kluczowy region świata, który powinien podlegać całkowitej kontroli.
- Na suche lasy wyżyny Chota Nagpur składa się przede wszystkim ekosystem złożony z drzew bambusa i krzewów.
- W Parku Narodowym Gir suche lasy liściaste są domem blisko 300 gatunków ptaków.

Las suchy strefy zwrotnikowej, Kostaryka

Las suchy strefy zwrotnikowej

Las suchy strefy podzwrotnikowej, pustynia Sonoran

Zapamiętaj

Lasy suche są bardzo wrażliwe na wycinkę i podpalenia.

Drzewa rosnące w lasach suchych strefy zwrotnikowej zrzucają liście podczas suchego sezonu

Las suchy liściasty strefy zwrotnikowej, dolina rzeki Narmada

Starodawny teren leśny, Kolumbia

Pradawne tereny leśne

Pradawne lasy znane są także jako dziewicze, pierwotne lasy, a nawet jako pradawne tereny leśne. Jak sama nazwa wskazuje są to lasy, które przetrwały lata. W lasach takich jest wiele drzew żyjących oraz martwych.

Lasy takie mają zazwyczaj kilka warstw roślinności, skupionych w trzech podstawowych gatunkach. Taki las mógł przetrwać setki, a nawet tysiące lat.

Pradawne lasy stanowią schronienie i rezerwat dla gatunków, które nie mogą rozkwitać, bądź łatwo regenerować się istniejąc w młodszych lasach. Innymi słowy lasy takie są schronieniem dla rzadkich gatunków, które są zależne właśnie od takiego rodzaju środowiska.

Pradawne lasy charakteryzują się dużą ilością węgla, umiejscowionego na i pod powierzchnią ziemi. Razem stanowią bardzo znaczną ilość ewentualnego paliwa.

Białowieski Park Narodowy

Najmłodsze lasy pradawne mają po 200 lat, te najstarsze nawet po 1000 lat. Pomiędzy wszystkimi najbardziej niezwykły jest las umiejscowiony na północnym-zachodzie Ameryki Północnej. Jest on największy na świecie i posiada najstarsze drzewa.

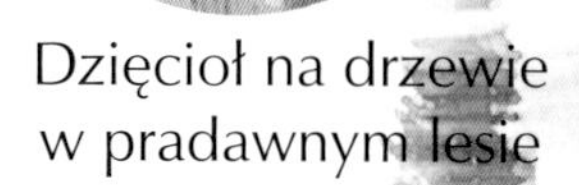

Dzięcioł na drzewie w pradawnym lesie

Zapytaj mnie!

Czym są pnie?

Pnie to nic innego jak martwe drzewa. Są to drzewa, od których odpadła większość liści i gałęzi. Drzewa takie zapewniają zarówno pożywienie, jak i schronienie np. dla dzięciołów czy sów.

Drzewa ze starodawnych terenów leśnych mają duże i stare pnie

…kwoje w pradawnym lesie, Kalifornia

Dziupla dzięcioła

Zdumiewające Fakty

- **Wiekowe drzewa mają na sobie ślady różnorodnych zmian i zakłóceń, które miały miejsce podczas ich rozwoju.**
- **Nieprzenikniony Las Bwindi, to olbrzymi obszar leśny we wschodniej Afryce. Las ten jest także znany pod nazwą „Miejsca ciemności".**
- **Nawet pradawne lasy nie są w stanie oprzeć się ogólnoświatowej, nielegalnej wycince.**
- **Pradawne lasy, które aktualnie możemy zobaczyć, zaczęły rozwijać się przed tysiącami lat. Wydaje się iż początek mogły im dać katastroficzne zmiany w klimacie.**

Park Narodowy
Great Smoky Mountains

Zapamiętaj

Olbrzymie drzewa należące do pradawnych lasów są bardzo wartościowe.

Nieprzenikniony Las Bwindi

Zamiana lasu w las
pradawny zabiera wiele lat

Park Narodowy Mount Rainier

Życie w lesie

Rosnące na drzewie grzyby

Leśna flora i fauna różni się ze względu na usytuowanie lasu. Kiedy myślimy o lesie, przychodzi nam na myśl wiele istniejących tam gatunków zwierząt. Poza dzikimi zwierzętami takimi jak: lwy, tygrysy, leopardy, wilki, słonie, zebry, żyrafy, małpy, goryle, niedźwiedzie itp., można znaleźć także rozmaite gatunki ptaków, nietoperzy czy owadów. Las jest także domem niezliczonej ilości pasożytów. Rośliny, które nie są drzewami, często w lesie umykają naszej uwadze. Organizmy takie jak bakterie czy grzyby są równie ważne dla lasu jak drzewa. Rośliny zapewniają schronienie wszystkiemu, począwszy od ssaków, a skończywszy na owadach. Kwiaty, nasiona, orzechy oraz liście są podstawowym jedzeniem dostępnym w lesie. Zapewniają także ludziom składniki niezbędne do produkcji lekarstw. Lasy potrzebują drzew o różnym wieku. Zdrowy las często posiada wiele martwych drzew. Larwy owadów często korzystają właśnie z takich starych i przewróconych drzew.

Las jest domem dla najróżniejszych gatunków roślin

Zapytaj mnie!

Co by się stało, gdyby jeden z gatunków zwierząt wyginął?

Zakłóciłoby to równowagę ekologiczną. Małe owady i inni roślinożercy zjadają rośliny. Lisy zjadają ptaki oraz inne gatunki małych zwierząt. Większe zwierzęta, takie jak lwy, czy tygrysy zjadają mniejsze. Wszystko jest tutaj ze sobą powiązane i ściśle zależne.

Zdumiewające Fakty

- Grzyby, które możesz znaleźć niemal w każdym zakątku lasu, są „owocami” pracy podziemnej sieci grzybków.
- Ptaki regularnie przenoszą nasiona drzew z jednego zalesionego obszaru na drugi.
- Kiedy drzewo umiera, a mimo to nie przewraca się, gniazda w nim tworzą sobie mrówki z gatunku gmachówek.
- Lasy deszczowe strefy zwrotnikowej mają najbogatsze ekosystemy na Ziemi. Charakteryzują się niesamowitym zróżnicowaniem gatunków roślin i zwierząt.

Ptaki przenoszą nasiona

Owady odżywiające się na roślinach

Las jest domem dla roślin, zwierząt, owadów i innych małych organizmów

Silniejsze zwierzęta polują w lesie na słabsze

Zapamiętaj

Lasy dostarczają wielu składników do produkcji leków.

Wododział

Co dają nam lasy?

Lasy są niezbędne dla gatunku ludzkiego. Blisko 30% powierzchni Ziemi pokryte jest aktualnie lasami. Mimo to proporcje pomiędzy liczbą lasów, a liczbą ludności zmieniają się drastycznie. Drzewa spowalniają spadanie kropli deszczu, dzięki temu gleba może tę wodę prawidłowo wchłonąć. Dodatkowo lasy pomagają filtrować wodę z zanieczyszczeń i osadów. Najważniejszym aspektem ekonomicznym dotyczącym lasów jest produkcja drewna. Ponadto lasy pomagają kontrolować klimat, zmniejszać zanieczyszczenie i utrzymywać naturalne środowisko. Nieustannie wzrasta także ekonomiczna ważność produktów wytworzonych przez las, a nie będących drewnem.

Lasy są także niezbędne jeśli chodzi o wododziały. Zapewniają one określone dostawy odpowiednio przefiltrowanej wody. Poza tym lasy pełnią także funkcję rekreacyjno – estetyczną. Każde państwo posiada zalesiony region, którego główne dochody oparte są na turystyce. Zyskiem są nie tylko miejsca pracy, ale i pokaźne dochody z racji turystyki.

W lasach można spotkać wiele gatunków roślin

Lasy są także domem dla niezliczonej ilości rozmaitych gatunków roślin i zwierząt. Drzewa w lesie są swoistymi filtrami dla całego środowiska.

Zapytaj mnie!

Jakie kraje na świecie są najbardziej zalesione?

Blisko 30% powierzchni Ziemi pokrywają lasy. Do dziesiątki najbardziej zalesionych krajów należą: Rosja, Brazylia, Kanada, USA, Chiny, Australia, Demokratyczna Republika Kongo, Indonezja, Angola i Peru.

Lasy promują turystykę

Zdumiewające Fakty

- Ponad połowa rocznej ilość wykorzystywanego miękkiego drewna pochodzi z Ameryki Północnej i Europy.
- W przeszłości lasy były przez ludzi darzone bardzo wielkim szacunkiem.
- Ludzie rozpoczęli życie na tej planecie od mieszkania w lasach.
- Las deszczowy Choco posiada ponad 8000 gatunków roślin.
- Lasy południowych Appalachów są domem dla około 211-242 gatunków ssaków, ptaków, płazów, gadów, ślimaków, motyli oraz rdzennych roślin, niespotykanych nigdzie indziej na Ziemi.

Lasy pomagają utrzymać równowagę w przyrodzie

Lasy dbają o utrzymanie czystego powietrza

Zapamiętaj

Lasy występują w rozmaitych wielkościach i rodzajach. Powstają w miejscach, które dają możliwość wzrostu drzewom.

Lasy są domem dla wielu gatunków roślin i zwierząt

Drzewa w lesie zapobiegają erozji ziemi

Drewno

Przedzieranie się przez zalany las

Eksploracja lasów

Leśne Parki Safari są doskonałym miejscem zabawy zarówno dla dzieci, jak i dorosłych. Są one schronieniem dla wielu gatunków ptaków, niebezpiecznych zwierząt, ssaków, płazów, a także zielonych drzew. Podróż w głąb lasu i obozowanie w nim, są doskonałą nauką dla dzieci i przygodą dla dorosłych. Dzień takiego obozowania może zbliżyć dzieci do natury, a przede wszystkim do zwierząt. Przed wyjściem biwakowym do lasu, trzeba zaopatrzyć się w odpowiednie pozwolenie. Dodatkowo należy przeczytać wszystkie regulacje ustalone przez właściwe na danym terenie władze. Odpowiednio dobrane, ciepłe i pokrywające całe ciało ubranie powinno ochronić skórę przed ukąszeniami komarów i innych owadów. Posiadanie apteczki jest absolutnie wymagane, warto także mieć ze sobą kamerę. Las jest domem dla wielu organizmów. Podczas leśnych wypraw trzeba zwrócić uwagę na odpowiednie obchodzenie się ze zwierzętami. Po obozowisku nie powinno zostać żadnych śladów. W lesie unikaj słuchania głośnej muzyki. Nie karm zwierząt pod żadnym pozorem. Staraj się zostawić hałasujące pojazdy poza obszarem leśnym.

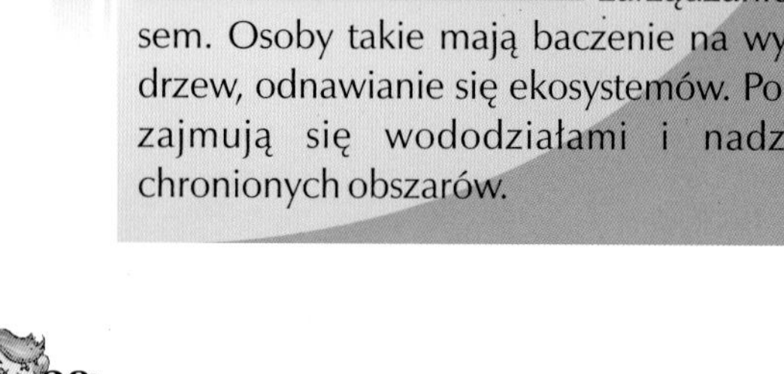

Kim jest leśniczy?

Jest to osoba zajmująca się leśnictwem, czyli zarządzaniem lasem. Osoby takie mają baczenie na wycinkę drzew, odnawianie się ekosystemów. Ponadto zajmują się wododziałami i nadzorem chronionych obszarów.

Wyprawa do lasu

Zabawy w lesie

Obóz w lesie

Zdumiewające Fakty

- Afrykańskie Safari są bardzo popularne wśród turystów.
- Pierwsze lasy były zdominowane przez olbrzymie skrzypy oraz paprocie, które dochodziły do wysokości ponad 12 m.
- Sir Dietrich Brandis jest uważany za ojca leśnictwa. Pracował w Indiach razem z administracją brytyjską. Wprowadził pierwsze naukowe rozwiązania dotyczące zarządzania lasem.

Wyprawa do rezerwatu Weedon

Obóz letni w lesie

Przeprawa przez las

Zapamiętaj

Przywódcy świata postawili sobie za cel do 2015 r. podwoić aktualne zalesienie.

Fotografowanie w lesie

Zalany las

OCHRONA LASÓW

Lasy pokrywają 1/3 powierzchni Ziemi. Niestety tracimy tereny leśne ze względu na bezmyślną ludzką ingerencję oraz przemysłowe działania. Nasze życie zależy w dużej mierze od lasów. Lasy absorbują dwutlenek węgla i zapewniają tlen, regulują dostawy wody i chronią ziemię przed erozją. Są podstawowym źródłem czystego powietrza oraz redukują efekt cieplarniany. Poza niekończącymi się wycinkami drzew, służącymi pozyskaniu drewna i ziemi, lasy muszą stawić czoła wielu wewnętrznym, jak i zewnętrznym zagrożeniom. Zagrożenia z zewnątrz to: pożary, powodzie, susze, nieustające wiatry i opady śniegu. Zagrożenia wewnętrzne dotyczą ataków insektów, grzybów, trujących roślin, ptaków oraz zwierząt.

Ochrona lasów nie jest łatwa, gdyż drzewa potrzebują na odrodzenie bardzo dużo czasu. Lasy są domem dla wielu roślin i zwierząt i wraz ze zniszczeniem lasu, giną i one.

ONZ, wraz ze wszystkimi państwami członkowskimi, bierze udział w wielkiej misji mającej na celu ochronę lasów.

Pożar w lesie

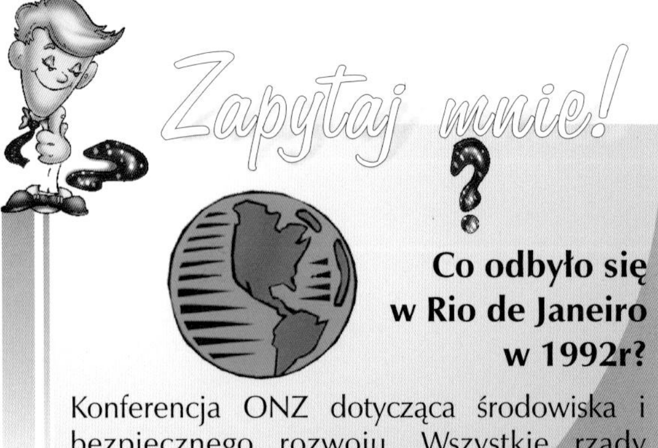

Co odbyło się w Rio de Janeiro w 1992r?

Konferencja ONZ dotycząca środowiska i bezpiecznego rozwoju. Wszystkie rządy obecnych tam państw zostały zobligowane do zajęcia się problemami dotyczącymi lasów, m.in. nielegalną wycinką lasów, czy też nierozsądnym gospodarowaniem terenami leśnymi.

Człowiek wycina lasy od niepamiętnych czasów

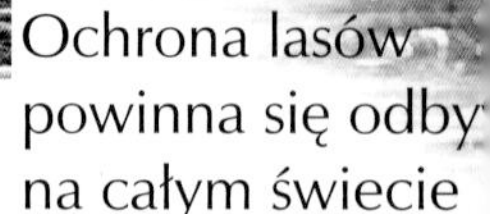
Ochrona lasów powinna się odby na całym świecie

Niszczenie lasów doprowadza do zagłady środowisk życia roślin i zwierząt

Zdumiewające Fakty

- Nielegalna wycinka lasów oraz złe zarządzanie lasami doprowadza do strat 14 mln ha powierzchni pokrytych lasami w skali roku.
- Na Ziemi zachowała się już tylko 1/3 z lasów deszczowych.
- Meksyk i Chiny podjęły najbardziej zdecydowane kroki w kwestii ochrony lasów.
- Niekontrolowane pożary są olbrzymim zagrożeniem dla lasów. Czas potrzebny na odbudowanie się lasu jest niewspółmiernie duży.
- Zalesianie to proces sadzenia nowych drzew. Najczęściej zajmują się tym ludzie, ale w wielu przypadkach dzieje się to w sposób naturalny, zwłaszcza kiedy dany region nawiedziła jakaś katastrofa.

Lasy często są niszczone przez susze

Wycinka lasów

Zniszczony las

Długotrwałe opady śniegu także mogą zniszczyć lasy

Zapamiętaj

Rządy wszystkich państw powinny dołożyć wszelkich starań by chronić lasy.

INDEKS

ZADZIWIAJĄCY ŚWIAT FAKTÓW
ENCYKLOPEDIA DLA DZIECI

LASY
ISBN 978-83-61150-44-2

Tytuł oryginału:
AMAZING CHILDREN'S ENCYKLOPEDIA
THE WORLD OF FACTS

Tłumaczenie: Kornel Karbowniczek
Redaktor naczelny: Iwona Zając
Printed in China

PRZEDSIĘBIORSTWO WYDAWNICZO-HANDLOWE „ARTI"
Artur Rogala, Mariusz Rogala-Spółka Jawna
01-217 Warszawa, ul. Kolejowa 11/13
tel./fax (22) 6314158, tel. (22) 6316080
e-mail: wydawnictwoarti@wp.pl
internet www.artibiuro.pl